Danger sur la banquise

L'auteur : Mary Pope Osborne a écrit plus de quarante livres pour la jeunesse récompensés par de nombreux prix. Elle vit à New York avec son mari, Will, et Bailey, un petit terrier à poils longs. Tous trois aiment retrouver le calme de la nature, dans leur chalet en Pennsylvanie.

L'illustrateur : Philippe Masson, né à Rennes en 1965, est issu d'une famille de marins bretons. Actuellement, il vit à Tours avec son amie et ses deux enfants, Lucas et Mona. Depuis 1997, il réalise les dessins de « Marion Duval » d'Yvan Pommaux pour le magazine *Astrapi.*

À Mallory Loehr, pour avoir fait le voyage douze fois

Titre original : *Polar Bears Past Bedtime*

Conception et réalisation de la maquette : Isabelle Southgate.
Colorisation de la couverture ; illustrations de l'arbre, de la cabane et de l'échelle : Paul Siraudeau.
Suivi éditorial : Karine Sol.

Loi n° 49 956 du 16 juillet 1949
sur les publications destinées à la jeunesse.
Dépôt légal : septembre 2005 – ISBN : 2 7470 1848 2
Imprimé en Allemagne par Clausen & Bosse

Danger sur la banquise

Mary Pope Osborne

Traduit et adapté de l'américain
par Marie-Hélène Delval

Illustré par Philippe Masson

QUATRIÈME ÉDITION

BAYARD JEUNESSE

Léa

Prénom : Léa

Âge : sept ans

Domicile : près du bois de Belleville

Caractère : espiègle et curieuse

Signes particuliers : ne manque jamais une occasion d'entraîner son frère Tom dans des aventures mouvementées, sans se soucier du danger.

Tom

Prénom : Tom

Âge : neuf ans

Domicile : près du bois de Belleville

Caractère : studieux et sérieux

Signes particuliers : aime beaucoup les livres, qui l'aident à se sortir de situations périlleuses.

★

Les onze premiers voyages de Tom et Léa

Tom et Léa ont découvert dans le bois de Belleville, perchée en haut d'un chêne, une cabane pleine de livres. C'est une

cabane magique !

Elle appartient à la fée Morgane, une magicienne et une célèbre bibliothécaire qui voyage à travers le temps et l'espace pour rassembler des livres.

Nos deux jeunes héros ont déjà vécu des **aventures extraordinaires** ! Il leur suffit d'ouvrir un livre, de poser le doigt sur une image en souhaitant se trouver à l'endroit représenté, et ils y sont aussitôt transportés !

★

Au cours de leurs quatre dernières aventures, Tom et Léa ont dû sauver quatre livres pour la bibliothèque de la fée Morgane avant qu'ils ne soient détruits.

Les enfants ont fui les rues de Pompéi.

Ils ont failli être arrêtés par le Roi-Dragon !

Ils se sont retrouvés seuls sur un drakkar en pleine tempête.

Souviens-toi...

Ils ont assisté aux Jeux olympiques.

Nouvelle mission :

résoudre quatre énigmes
et récupérer leurs cartes de Maîtres Bibliothécaires

Merlin a confisqué les cartes MB de nos deux héros, car il les trouve trop jeunes et pas assez malins. Tom et Léa vont devoir lui prouver le contraire !

Trouveront-ils la solution de chaque énigme ? Éviteront-ils tous les dangers ?

Lis vite les quatre nouveaux « Cabane Magique » !

★ N° 12 ★
Sauvés par les dauphins

★ N° 13 ★
Les chevaux de la ville fantôme

★ N° 14 ★
Dans la gueule des lions

★ N° 15 ★
Danger sur la banquise

Prêt à suivre Tom et Léa dans leurs dangereuses aventures ?

Bon voyage !

Résumé des tomes précédents

★ ★ ★

Après avoir résolu la première énigme, sous les mers, et la deuxième, au Far West, Tom et Léa sont propulsés au cœur de la savane africaine pour chercher la solution de la troisième. Ils croisent des gnous, des zèbres, des gazelles, des éléphants… et même un Masaï. Mais Tom n'a qu'une peur, c'est de se retrouver face aux lions. De retour à la cabane magique, les deux enfants ont une drôle de surprise : des fauves dorment juste au-dessous…

1

Une chouette moqueuse

Hou hou !

L'étrange appel passe par la fenêtre ouverte. Tom ouvre les yeux. Il fait noir dans la chambre.

Hou hou !

Le garçon s'assied, cherche ses lunettes à tâtons. Il prend la lampe-torche sur sa table de nuit, l'allume et dirige le faisceau lumineux vers la fenêtre.

Une chouette blanche s'est posée sur une branche, dehors. Elle ulule de nouveau : *Hou hou !*

Ses yeux ronds et jaunes brillent dans la lumière.

« On dirait qu'elle me parle, pense Tom. C'est peut-être une envoyée de Morgane, comme la mouette, le lièvre et l'antilope ? »

Ces bêtes ont conduit Tom et Léa à la cabane magique lors de leurs trois dernières aventures. La chouette insiste : *Hou hou !*

– Ne bouge pas ! lui dit Tom. Je vais chercher ma sœur.

Léa a un don pour comprendre le langage des animaux. Tom se lève et court à la chambre voisine. La petite fille dort profondément.

Tom est obligé de la secouer pour la réveiller.

– Quoi ? grogne-t-elle.

– Viens vite ! chuchote Tom. Je crois que Morgane nous envoie un signe.

Léa jaillit du lit comme un ressort et se précipite dans la chambre de son frère.

La chouette blanche est toujours perchée devant la fenêtre. Elle cligne des yeux, lance encore : *Hou hou !*

Puis elle ouvre ses ailes et disparaît dans la nuit.

– Elle est venue nous chercher, dit Léa.

– C'est bien ce que je pensais. On s'habille, et on se retrouve en bas.

– Pas le temps ! On part en pyjama ! La chouette a dit : *tout de suite !*

– J'enfile quand même mes baskets !

– Oui, moi aussi.

Léa repart dans sa chambre.

Pendant ce temps, Tom se chausse, met son carnet et son stylo dans son sac à dos. Il prend sa torche et descend l'escalier sur la pointe des pieds. Sa sœur l'attend déjà devant la porte.

Tous deux se glissent dehors sans bruit.

– Je ne me sens pas très à l'aise, bougonne Tom. Je remonte m'habiller.

– On n'a pas le temps, je te dis. Tout de suite, c'est tout de suite !

La petite fille dévale les marches du perron et s'enfonce dans le jardin obscur. A-t-elle vraiment compris ce que disait la chouette, ou fait-elle semblant ? Tom n'en sait rien. Mais, comme il ne veut pas se laisser distancer, il court à sa suite.

Quand ils entrent dans le bois, Tom allume sa torche.

Dans le faisceau de lumière, les branches ressemblent à de longs bras qui se tendent vers eux.

Hou hou !

– Ah ! fait Tom en sursautant.

– C'est rien, c'est la chouette, dit Léa. Elle est là, tout près.

– Cet endroit me fiche la trouille, grommelle le garçon.

– Oui, la nuit, on dirait un autre bois…

Brusquement, une silhouette blanche leur frôle la tête dans un froissement d'ailes. Cette fois, c'est Léa qui pousse un cri.

Tom lève la torche et éclaire la chouette, qui se pose sur la branche d'un grand chêne, juste à côté de la cabane magique !

Morgane la fée apparaît à la fenêtre :

– Bonjour, les enfants. Montez vite !

Tom et Léa grimpent l'un derrière l'autre par l'échelle de corde.

La fée les attend, tenant dans ses bras trois parchemins. Sur ces rouleaux sont écrits trois mots en lettres dorées : les solutions des trois premières énigmes.

– Vous avez voyagé au cœur de l'océan, au Far West et en Afrique, dit la fée. Il vous reste encore une énigme à résoudre. Êtes-vous prêts pour une quatrième aventure ?

– Oui ! s'exclament en chœur Tom et Léa.

Morgane sort des plis de sa robe un quatrième parchemin et le tend à Léa.

La petite fille demande :

– Quand nous aurons résolu cette dernière énigme, nous retrouverons nos cartes de Maîtres Bibliothécaires ?

– Merlin a promis de vous les rendre, lui assure la fée.

Elle remet un livre à Tom en disant :

– Cet ouvrage vous guidera dans votre dernière recherche !

Les enfants se penchent pour regarder le titre : *Aventures dans l'Arctique*

– L'Arctique ? s'inquiète Tom. Mais… il gèle à mort, là-bas !

Morgane sourit :

– N'aie pas peur. Je vais vous envoyer quelqu'un pour vous accueillir.

– Nous accueillir ? Oui, mais…

Léa a déjà posé le doigt sur l'image du livre, qui représente une banquise étincelante. Elle prononce la formule :

– Nous souhaitons être transportés ici !

– Hé ! s'affole Tom. Attends une minute ! On est en pyjama, et là où…

Hou hou ! fait la chouette d'un air moqueur.

Avant que Tom ait pu finir sa phrase, le vent s'est mis à souffler, la cabane à tourner.

Le vent hurle, la cabane tourne de plus en plus vite. Elle tourbillonne comme une toupie folle.

Puis tout s'arrête, tout se tait.

2

Le chasseur de phoques

Tom et Léa frissonnent ; il fait atrocement froid. Ils regardent par la fenêtre.

Pas un arbre, pas une maison, rien qu'une immense étendue de neige et de glace, sous un immense ciel gris.

La cabane s'est posée sur le sol. Morgane et la chouette ont disparu.

– L…l…lis l'é…l'é…l'énigme ! fait Léa en claquant des dents.

Tom grelotte si fort qu'il doit s'y prendre à deux fois pour dérouler le parchemin. Il lit :

Derrière moi, on se cache.
Avec moi, on se déguise.
Mais derrière moi, aussi,
On trouve parfois du courage.

– Je vais recopier ça dans mon carnet pour m'en souvenir, dit Tom.

Ses doigts sont déjà gourds, il a du mal à écrire. Quand il a fini, il feuillette le livre, et trouve l'image d'un paysage exactement semblable à celui qu'il a vu par la fenêtre. Il lit :

Dans la toundra,
vaste plaine des régions arctiques,
il ne pousse que de tout petits arbustes,
des mousses et des lichens.
Pendant la longue nuit d'hiver,
il y fait plus froid
que dans un congélateur !
Tout est recouvert de neige et de glace.

Au printemps, le ciel s'éclaircit un peu. L'été est court, le soleil brille alors vingt-quatre heures par jour.

– On doit être au printemps, observe Tom. Tout est recouvert de neige, mais il y a un peu de lumière.

Il tourne la page et découvre la photo d'un homme portant un vêtement de peau, avec une capuche bordée de fourrure :

– Regarde !

– Il nous faut un manteau comme ça ! s'exclame Léa.

Tom lit encore :

Ce chasseur a revêtu une tenue en peau de phoque, qui le protège du vent glacé. C'est le vêtement traditionnel des Inuit, les habitants de l'Arctique. Dans leur langue, Inuit signifie « hommes ».

Il reprend son carnet et note :

Des habits
en peau de phoque

Il a trop froid pour en écrire davantage. Il souffle sur ses doigts en bougonnant :

– J'aimerais mieux être au chaud sous ma couette !

– Morgane a promis de nous envoyer quelqu'un, lui rappelle Léa.

– Eh bien, ce quelqu'un a intérêt à se dépêcher, sinon, on va se transformer en glaçons !

– Chut ! Écoute !

Un long hurlement monte, au loin. Puis un autre, et un autre encore.

– Qu'est-ce que c'est ? fait Tom.

Ils se précipitent à la fenêtre, mais ils ne voient rien. La neige s'est remise à tomber.

Les hurlements se rapprochent petit à

petit, accompagnés d'espèces de jappements.

Des silhouettes à quatre pattes galopent dans la neige. Elles se dirigent vers la cabane !

– Des… des loups ? balbutie Léa.

– De mieux en mieux ! râle Tom. On est à moitié morts de froid, et une meute de loups affamés est à nos trousses !

Les enfants se blottissent l'un contre l'autre au fond de la cabane.

Les hurlements sont tout près, maintenant. Les bêtes jappent et couinent. On dirait qu'elles encerclent la cabane…

Tom reprend le livre :

– Il y a peut-être une indication qui va nous aider…

Il tourne les pages à la recherche d'une image de loup.

À ce moment, Léa s'écrie :

– Oh ! Euh… Salut !

Tom lève les yeux et retient son souffle. Un visage s'est encadré dans la fenêtre, celui d'un homme qui porte un capuchon bordé de fourrure.

C'est le chasseur du livre !

3

Les chiens de traîneau

– Vous êtes venu avec les loups ? s'exclame Léa, étonnée.

– C'est Morgane qui vous envoie ? demande Tom.

– J'ai fait un rêve, répond l'homme. Vous étiez dans mon rêve. Vous appeliez à l'aide.

Léa rit. L'homme parle dans sa propre langue, mais la petite fille a tout compris. C'est grâce à la magie de Morgane, comme lors de leurs aventures en Chine ou dans la Grèce antique !

– C'est Morgane qui vous a envoyé ce rêve, explique-t-elle. Nous sommes venus ici dans sa cabane magique qui voyage à travers l'espace et le temps.

« Pourquoi elle lui raconte ça ? pense Tom. Il ne va jamais croire à une histoire pareille ! »

Mais le chasseur se contente de sourire, pas du tout surpris.

– Nous avons besoin d'aide, enchaîne alors Tom. Nous sommes frigorifiés !

Le chasseur hoche la tête et s'éloigne.

Il revient une minute plus tard, portant deux épais manteaux de peau, semblables au sien, avec une capuche bordée de fourrure.

Il les tend aux enfants.

– Merci ! s'écrient-ils.

Ils enfilent aussitôt les vêtements.

– Hmmm ! fait Léa. Que ça tient chaud !

– Oui, dit Tom. C'est de la peau de phoque.

– Pauvres phoques ! soupire Léa.

Le chasseur sourit :

– Ce sont des bêtes bien utiles pour nous.

Les enfants remontent leur capuche. Maintenant, leur tête et leur corps sont réchauffés.

Mais ils ont encore les pieds, les jambes et les mains gelés.

Le chasseur leur tend alors à chacun un pantalon fourré, qu'ils enfilent par-dessus leur pyjama.

– Oh, merci ! s'écrie Léa.

Ce n'est pas fini ! Ils reçoivent encore chacun une paire de bottes et des moufles. Tous deux s'assoient par terre pour enlever leurs baskets et mettre les bottes confortables.

Ils glissent leurs doigts gelés dans les moufles. Quelle merveille !

– Juste une petite question, reprend Tom. Connaissez-vous la réponse à cette énigme ?

Il ouvre son carnet et lit.

Derrière moi, on se cache.
Avec moi, on se déguise.
Mais derrière moi, aussi,
On trouve parfois du courage.

Le chasseur fait non de la tête. Puis il ordonne :

– Venez !

– Mais… et les loups ? s'inquiète Tom.

L'homme s'éloigne sans répondre.

Avant de le suivre, Tom ramasse le livre sur l'Arctique, resté ouvert à la même page. Presque tout de suite, il s'exclame :

– Écoute ça, Léa !

**Les chasseurs voyagent dans
des traîneaux tirés par des chiens,
les huskies de Sibérie.
Husky signifie « enroué ».
On appelle ces chiens ainsi
parce que leurs hurlements
ressemblent à ceux des loups.**

– Tu vois, Léa, ce ne sont pas des loups, ce sont des…

Il lève les yeux. Sa sœur n'est plus là !

Tom se dépêche de ranger le livre et son carnet dans son sac. Mais il n'arrive pas à le mettre sur son dos, à cause de son gros manteau. Il ôte ses moufles, desserre les courroies. Ça y est !

Il renfile ses moufles, mesure du regard l'étroite fenêtre. Il va avoir du mal à passer, emmitouflé comme il est !

Il s'approche, glisse sa tête et ses épaules par l'ouverture, pousse fort sur ses mains...

Pouf ! Il tombe sur une épaisse couche de neige. Il se remet sur pieds, cligne des yeux. L'air est blanc comme du brouillard.

Un peu plus loin, Tom entend des hurlements et des aboiements. Il marche dans cette direction.

En s'approchant, il distingue le traîneau et l'attelage. Il compte neuf huskies à l'épaisse fourrure. Ils ont de bonnes grosses têtes et des oreilles pointues.

Le chien de tête aboie en le regardant.

Tom s'arrête.

– Il te dit de monter ! lui lance Léa, déjà debout à l'arrière du traîneau.

Tom se dépêche de rejoindre sa sœur.

Le chasseur fait claquer un long fouet :

– Hop, hop !

L'attelage s'ébranle. La neige jaillit sous les pattes des chiens.

Au-dessus du traîneau, la chouette blanche plane en silence.

4

Une maison de neige

Le traîneau file sur le sol gelé de la toundra. Le chasseur court à côté à longues foulées souples, faisant claquer son fouet de temps à autre.

Le soleil disparaît peu à peu derrière l'horizon glacé tandis qu'une grosse lune orange monte dans le ciel. Elle éclaire, non loin de là, la forme ronde d'un igloo.

Les chiens ralentissent, s'arrêtent.

Léa saute du traîneau et s'empresse d'aider le chasseur à ôter les harnais des bêtes, qui se couchent dans la neige.

Tom, lui, reprend son livre et cherche une information sur les igloos. Il lit :

Le mot igloo signifie « maison » dans la langue des Inuit. Ceux-ci bâtissent les igloos avec des blocs de neige. La neige tassée est un bon matériau de construction, car elle garde la chaleur. Par – 50° dehors, il fait environ + 5° à l'intérieur d'un igloo.

Tom sort son carnet et note :

Igloo = maison

– Tu viens, Tom ? lui lance Léa.

Le chasseur et la petite fille l'attendent devant l'igloo. Tom les rejoint.

L'homme soulève une peau qui ferme l'entrée. Il fait signe aux enfants de le suivre et entre à quatre pattes.

Il allume une chandelle, et sa lumière se reflète sur la paroi glacée.

Tom et Léa s'assoient sur une sorte de plate-forme recouverte de fourrures.

Ils regardent l'homme allumer un petit fourneau.

Le chasseur ressort, puis revient avec une grosse boule de neige et de la viande gelée. Il met la neige à fondre dans un pot, sur le fourneau. Puis il ajoute la viande.

Tom l'observe, puis cherche dans son livre. Léa se penche sur la page qu'il lui montre, et tous deux lisent en silence :

Autrefois, les outils,
les vêtements, la nourriture
des Inuit, étaient fournis
par les animaux
de l'Arctique,
particulièrement
les phoques. On peut
manger leur viande,
faire de l'huile
pour les lampes
avec leur graisse,
coudre des
vêtements
avec leur peau,
tailler des couteaux
et des aiguilles
dans leurs os.

– Il doit faire cuire de la viande de phoque, murmure Tom.

– Pauvres phoques ! soupire encore une fois Léa.

Le chasseur lève la tête :

– Sans eux, nous ne pourrions pas survivre. Les phoques le savent.

– Oh ! souffle Léa.

– Et nous, nous n'oublions jamais de remercier les esprits des animaux !

– Ah ? fait Tom.

– Nous avons des cérémonies pour cela, continue le chasseur.

Il leur montre deux masques en bois :

– Nous allons bientôt honorer les esprits des ours polaires. J'ai sculpté ces masques pour cette occasion.

– Les ours polaires ? dit Léa.

– Oui. Les phoques nous donnent beaucoup, mais les ours aussi !

– Que vous donnent-ils, les ours ? demande Tom.

– Il y a très longtemps, l'ours polaire nous a enseigné comment vivre dans la neige et la glace.

– Enseigné ? s'étonne Tom. Comment ça ?

L'homme sourit :

– C'est en observant les ours que nous sommes devenus chasseurs de phoques. L'ours attend sa proie patiemment au bord d'un trou dans la glace. Quand le phoque passe la tête pour respirer, l'ours l'assomme avec sa grosse patte. C'est ainsi que mon

père m'a appris à chasser le phoque, comme son père le lui avait enseigné autrefois.

– Je comprends, dit Tom.

– L'ours nous a aussi montré comment bâtir des igloos, continue le chasseur. Les femelles se construisent des tanières de neige, en creusant les congères, pour y mettre bas leurs petits.

– Super !

– L'ours nous a même appris à voler, ajoute le chasseur.

– À voler ? s'esclaffe Léa.

Tom éclate de rire :

– Ça, ce n'est pas possible !

Le chasseur se contente de sourire, et retourne à sa cuisine.

« Voilà pourquoi il n'a pas été surpris en découvrant la cabane magique, se dit Tom. S'il croit que les ours peuvent voler, il peut croire n'importe quoi ! »

L'homme sort la viande décongelée du pot et la met dans un seau de bois.

– Viens, dit-il à Léa. On va nourrir les chiens.

– Chouette ! s'exclame la petite fille.

Et elle sort derrière le chasseur.

Tom range rapidement le livre et son carnet dans son sac à dos et s'apprête à les suivre quand son regard tombe sur les masques.

Il les prend pour les examiner de plus près.

Ils sont en forme de tête d'ours, avec un museau allongé et des oreilles rondes. Il y a deux trous à la place des yeux et une lanière pour les attacher.

Soudain, un concert d'aboiements s'élève à l'extérieur. Les chiens jappent et grondent furieusement.

Léa pousse un cri perçant. Serait-elle attaquée par les chiens ?

– Léa !

Tom se précipite vers la sortie, tenant encore les masques à la main.

5

Deux oursons perdus

Tom comprend alors pourquoi les chiens aboient ainsi : à quelque distance de là, deux petites boules de fourrure jouent dans la neige, à la lumière de la lune.

– Regarde ! crie Léa. Des bébés ours blancs !

Les oursons se bousculent, cabriolent, retombent, les pattes en l'air.

– Ils sont trop mignons ! s'attendrit Léa.

Et elle s'approche pour les caresser.

– Attends ! lui lance Tom. Où est leur mère ?

Il regarde autour de lui, mais il ne voit nulle part de grosse ourse.

Il pense : « Ils sont peut-être orphelins. »

Léa se roule dans la neige avec les deux oursons en riant aux éclats. Tom a bien envie d'en faire autant.

Il range soigneusement les masques dans son sac et rejoint sa sœur.

Les oursons piquent un galop maladroit, reviennent comme pour entraîner Léa. Elle en poursuit un, le rattrape, lui donne une petite tape en criant :

– C'est toi le chat !

Tom arrive à son tour, le deuxième ourson sur ses talons. Ils jouent un long moment sur la plaine enneigée.

Finalement, tout essoufflés, ils se retrouvent au bord de la banquise, la mer gelée.

– Tiens, remarque Léa, on n'entend plus les huskies.

– Non, fait Tom, brusquement inquiet. On est loin de l'igloo. On ferait mieux de revenir.

– Pas tout de suite ! Regarde les oursons ! Ils sont trop drôles !

Les deux petites bêtes ont trouvé un nouveau jeu : elles grimpent sur un gros tas de neige dure, et se laissent glisser jusque sur la croûte de glace.

– Viens ! crie Léa. On essaie ! C’est encore plus drôle qu’un toboggan.

– Bon, d’accord ! Mais pas longtemps. Après, on retourne à l’igloo.

Tous deux escaladent le monticule. Arrivée en haut, Léa s’assied, et en avant pour la glissade ! Tom serre le sac contre son ventre, et se lance à son tour.

– Attention, en dessous ! lance-t-il aux oursons.

Ils recommencent dix fois, vingt fois.

Enfin, fatigués, ils restent allongés sur le dos, admirant la grosse lune orange qui dérive lentement dans le ciel.

– C’était super ! fait Léa, hors d’haleine.

– Oui. Mais, maintenant, il faut rentrer à l’igloo. Le chasseur doit s’inquiéter. Et on n’a même pas cherché la solution de l’énigme.

Tom roule sur le côté et saute sur ses pieds.

Un craquement sec retentit. Effrayé, le garçon se laisse vite retomber à genoux :

– Aïe ! La glace est trop mince…

– Quoi ?

Léa tente de se relever. Un autre craquement se fait entendre. Léa se fige.

Les oursons se rapprochent avec des petits cris plaintifs. On dirait des bébés qui pleurent.

Tom a presque envie de pleurer, lui aussi. Mais il respire profondément et déclare :

– Regardons ce que dit le livre !

Il fouille dans son sac, en retire d'abord les masques, qu'il tend à Léa :

– Je les ai emportés par mégarde.

Au moment où il ouvre le livre, une espèce de détonation le fait sursauter.

CRAAAAC !

– La glace se fend même quand on ne bouge pas ! gémit Léa.

C'est alors que s'élève un autre bruit, bien plus effrayant encore. Ça vient du haut de la pente où ils ont joué au toboggan. Ils tournent la tête pour voir.

Une silhouette gigantesque se dresse au-dessus d'eux, émettant un grondement menaçant.

– La maman ourse ! souffle Léa.

6

La banquise craque !

– Elle a l'air furieuse, murmure Tom. Tu crois qu'elle va nous attaquer ?

La mère ourse grogne, les oursons pleurnichent plus fort. Léa secoue la tête :

– Non, non, elle ne veut pas nous faire de mal. Elle a seulement peur pour ses petits. Ils veulent la rejoindre, mais ils n'osent plus bouger sur cette glace.

La petite fille caresse les petites bêtes, elle leur parle doucement :

– N'ayez pas peur ! Vous allez la retrouver, votre maman !

La grande ourse marche de long en large, se dresse sur ses pattes arrière en humant l'air. Tom n'est pas vraiment rassuré.

Il feuillette vite le livre à la recherche d'une indication qui puisse les aider. Finalement, il trouve quelque chose d'étonnant :

Bien qu'un ours adulte pèse plus de 500 kg, il sait se déplacer sur de la glace trop fragile pour supporter le poids d'un homme. Il se met à plat ventre et rampe en s'aidant de ses griffes.

– Incroyable ! murmure Tom.

Il relève la tête pour observer l'ourse. Celle-ci est descendue en bas du monticule et elle s'avance sur la mer gelée.

La glace craque. L'ourse recule.

Puis elle trouve un point d'appui, pose ses quatre pattes sur la glace et se couche

de tout son long. Plantant ses griffes dans la couche glacée, elle se déplace alors lentement en glissant sur le ventre.

– Elle vient chercher ses petits, ou nous ? s'inquiète Tom.

– Je n'en sais rien, dit Léa, moins sûre d'elle, tout à coup. Si on mettait les masques ?

– Pour quoi faire ?

– Comme ça, elle nous prendra peut-être pour des ours ?

– Tu es complètement folle ! soupire Tom.

Il prend tout de même le masque que lui tend sa sœur, ôte ses lunettes, passe la lanière derrière sa tête.

Tom ne distingue pas grand-chose par les trous. Mais il aime autant ne pas voir l'énorme ourse s'approcher.

Celle-ci a rejoint ses petits. Elle les lèche tendrement, frotte son nez contre les leurs. Puis les oursons grimpent sur le dos

de leur mère.

– Et voilà, ils sont sauvés ! souffle Tom. Même si la glace se brise maintenant, ils pourront atteindre la rive à la nage.

– Eux oui, mais pas nous ! observe Léa.

La mère ourse, ses petits accrochés à sa fourrure, rampe lentement vers le rivage.

– Imitons-la ! décide Léa.

– Et si la glace cède ? On va mourir gelés ! proteste Tom.

– On mourra gelés en restant ici, de toute façon ! Rappelle-toi ce qu'a dit le chasseur : les ours ont enseigné beaucoup de choses aux hommes !

Tom prend une grande inspiration :

– D'accord, essayons !

Il se couche à plat ventre, étend ses bras et ses jambes et commence à ramper.

Fantastique ! Il n'entend aucun craquement !

Il grogne comme un ours, pousse avec ses mains et ses pieds, et avance encore. Derrière lui, Léa glisse aussi sur le ventre.

Pousser, glisser, pousser, glisser… C'est drôle ! Bientôt, Tom a l'impression de n'être plus un garçon, mais un ours polaire !

Il lui semble que la glace le porte comme l'air porte un oiseau, que la mer gelée éclairée par la lune s'est changée en un ciel de verre. Ses bras et ses jambes sont devenues des ailes ; il est un ours volant !

Alors il se souvient des étranges paroles du chasseur : « L'ours nous a même appris à voler. »

7

L'esprit de l'ours

– Hé, Tom, l'interpelle Léa. Tu peux te relever, on est sur la rive !

Tom ouvre les yeux et découvre sa sœur, debout, son masque encore sur la figure.

Il se demande s'il n'a pas rêvé, et si tout ça a quelque chose à voir avec l'énigme. Il se souvient qu'on y parle de courage…

Les oursons chahutent un peu plus loin, dans la neige. L'ourse s'est assise, et elle observe les enfants.

– Tu vois, elle veut être sûre qu'on est sains et saufs, dit la petite fille.

Tom regarde le gros animal avec respect, et les mots du chasseur lui reviennent en mémoire :

« Nous n'oublions jamais de remercier les esprits des animaux ! »

– Nous devons dire merci à l'ourse, murmure-t-il.

– Bien sûr ! approuve Léa.

Tom saute sur ses pieds. Toujours masqué, il croise ses mains sur sa poitrine et s'incline très bas :

– Merci, ourse !

– Oui, dit Léa. Merci pour tout !

Quand ils se relèvent, l'ourse s'est dressée sur ses pattes arrière. Elle domine les enfants de toute sa hauteur.

Puis elle remue la tête comme pour les saluer.

Au même instant, le ciel semble exploser. Des bandes lumineuses rouges, vertes et pourpre se déploient à l'horizon. C'est si beau que les enfants en ont le souffle coupé.

La toundra scintille, comme illuminée par un gigantesque feu d'artifice. La fourrure de l'ourse miroite dans cette clarté féerique.

– Est-ce la réponse de l'esprit des ours ? demande Léa d'une toute petite voix.

– Je ne pense pas, répond Tom avec

sérieux. Il y a sûrement une explication scientifique…

Il ressort le livre, ôte son masque d'ours et remet ses lunettes.

Éclairé par l'étrange lumière, Tom cherche la bonne page et lit :

**L'un des phénomènes
les plus étonnants en Arctique
est l'aurore boréale. Ces tourbillons
de lumière sont causés par des
particules de l'atmosphère terrestre
chargées d'électricité.**

– Tu vois ! s'écrie Tom. Ce n'est pas magique, c'est scientifique !

Et, brusquement, tout s'éteint, comme lorsqu'on souffle une chandelle.

L'extraordinaire spectacle est terminé.

8

La solution de l'énigme

Seule la lumière de la lune éclaire maintenant la neige. L'ourse et ses oursons ont disparu.

– Où sont-ils partis ? demande Léa.

– Je ne sais pas, dit Tom. Je suppose qu'ils ne s'intéressent pas aux explications scientifiques.

Léa soupire. Elle retire son masque et le rend à Tom, qui le range dans son sac avec le sien.

– Bon ! Qu'est-ce qu'on fait ?

La plaine enneigée semble sans fin.

Ils regardent autour d'eux. Ils n'ont aucune idée de l'endroit où ils sont. Tom hausse les épaules :

– Il n'y a qu'à marcher droit devant nous. On retrouvera peut-être l'igloo.

– Écoute ! fait Léa.

Des hurlements s'élèvent au loin. Ils se rapprochent peu à peu.

– Les huskies ! s'écrie-t-elle. On n'aura pas attendu longtemps !

Bientôt, l'attelage apparaît, le chasseur court à côté du traîneau.

– On est là ! crient les enfants en agitant les bras et en sautant sur place.

L'homme affiche un large sourire :

– Ouf ! J'ai cru que vous étiez perdus !

– On l'était ! Et on a même été coincés sur de la glace trop mince ! Mais un ours polaire nous a aidés.

– C'est vrai ! confirme Tom. On a mis les masques d'ours, et on a eu l'impression de devenir des ours !

– Oui, ajoute Léa, avec les masques, on s'est sentis beaucoup plus courageux !

Tom regarde sa sœur. Il balbutie :

– Tu… tu as dis…

– Quoi ? Qu'est-ce que j'ai dit ?

Tom sort son carnet et cherche la page où il a recopié le texte de l'énigme. Il lit à haute voix :

Derrière moi, on se cache.
Avec moi, on se déguise.
Mais derrière moi, aussi,
On trouve parfois du courage.

– Masque ! s'écrient ensemble les enfants.

Le chasseur les regarde d'un air malicieux.

– Vous connaissiez la réponse, n'est-ce pas ? dit Léa.

– C'était à vous de la découvrir, répond le chasseur.

« J'avais presque trouvé, tout à l'heure », pense Tom.

Il sort les masques de son sac et les rend à leur propriétaire :

– Tenez, les voici ! Merci pour tout ! Nous pouvons rentrer chez nous.

– Voulez-vous nous ramener à notre cabane ? demande Léa.

– Montez !

Les enfants grimpent dans le traîneau.

– Hop ! Hop ! crie le chasseur.

– Hop ! Hop ! répète Léa.

Et l'attelage s'ébranle tandis que la neige se remet à tomber.

9

Encore une énigme !

Le vent se lève, un vent glacial qui fait tourbillonner la neige. C'est le blizzard, le terrible vent du Grand Nord.

Heureusement, le traîneau arrive devant la cabane.

– Attendez une minute, s'il vous plaît ! demande Tom au chasseur. Nous devons vérifier quelque chose.

L'homme hoche la tête. Les chiens s'ébrouent.

Les enfants entrent dans la cabane en enjambant le rebord de la fenêtre. Tom s'empare du parchemin où était écrit le texte de la quatrième énigme. Il le déroule en hâte.

Le texte a disparu !

À la place, un mot scintille, écrit en grandes lettres d'or :

MASQUE

– On a trouvé ! s'exclame Léa en sautillant de joie.

– On va récupérer nos cartes de Maîtres Bibliothécaires, renchérit son frère.

Tous deux ôtent leurs chauds vêtements en peau de phoque.

Dès qu'ils se retrouvent en pyjama, ils recommencent à grelotter.

– Me... merci b... beaucoup ! dit Tom en rendant les vêtements au chasseur.

– Oui, v... v... vraiment ! ajoute Léa en claquant des dents.

L'homme sourit, leur fait un signe de la main et retourne à son traîneau.

– Hop ! Hop ! crie-t-il.

Les chiens s'élancent, et l'attelage disparaît dans la neige et le vent.

– Partons v… vite, avant d'être ge… gelés ! grommelle Tom.

Léa prend le livre avec l'image de leur bois, elle pose le doigt dessus :

– Nous s… souhaitons revenir ici !

Rien ne se passe. Léa redit la formule en essayant de raffermir sa voix.

Rien ne bouge.

– Qu'… qu'est-ce qui se p… passe ? s'inquiète Tom.

Il regarde autour de lui. Les quatre parchemins sont bien là, portant chacun la réponse à l'énigme. Mais… il y a un cinquième parchemin !

– D'ou il s… sort, ce… celui-là ?

Tom le prend, le déroule, et lit :

Avec les quatre dernières lettres,
On peut presque faire un mot,
Qui commence comme le deuxième.
Il désigne ce lieu où l'on apprend,
Autrement qu'en voyage,
Mais tout autant !

– Qu… quoi ? bégaie Léa. Encore une énigme ?

– R… restons calmes ! dit Tom. Voyons ! Les quatre dernières lettres, ce sont sûrement celles des quatre mots. Il y avait HUÎTRE, ÉCHO…

– MIEL et MASQUE. Ça fait E, O, L, E.

– Oui, et le deuxième mot, c'est… ÉCHO ! Facile ! Là où on apprend, c'est…

– L'école ! crient les deux enfants en même temps.

Aussitôt, sur le cinquième parchemin, le texte disparaît et le mot **ÉCOLE** s'inscrit en lettres d'or.

Au même moment, le vent se met à souffler, la cabane à tourner.

– Moi, remarque Léa, j'aime mieux apprendre en voyage qu'à l'école !

– Mais à l'école, objecte son frère en grelottant, on a moins froid !

Le vent souffle plus fort. La cabane tourne plus vite, de plus en plus vite.

Puis tout s'arrête, tout se tait.

10

À nouveau Maîtres Bibliothécaires

Une bonne chaleur enveloppe Tom. C'est délicieux ! Il se frictionne les bras, ouvre les yeux.

Il fait nuit dans la cabane. Une voix douce s'élève dans l'ombre :

– Vous avez réussi encore une fois ! Bravo, les enfants !

Morgane la fée s'avance, et un rayon de lune qui passe par la fenêtre fait étinceler ses longs cheveux d'argent.

– Oui ! s'exclame Léa. On a résolu toutes les énigmes !

La fée sourit. Elle sort des plis de sa robe les deux cartes où brillent un M et un B dorés :

– Et voici vos cartes de Maîtres Bibliothécaires ! Merlin vous les rend, comme il l'a promis. Vous lui avez prouvé que vous étiez intelligents et courageux.

– Alors, on pourra continuer à voyager pour vous ? demande Tom.

– Et à chercher des livres rares pour votre bibliothèque ? ajoute Léa.

– Bien sûr ! Sinon, à quoi bon être Maîtres Bibliothécaires ?

– Super ! crient ensemble les enfants.

– Quand repartons-nous ? veut déjà savoir Léa.

MB
MB

– Pour l'instant, rentrez chez vous, reposez-vous et reprenez des forces. Vous en aurez besoin bientôt, je peux vous l'assurer !

Tom sort de son sac le livre sur l'Arctique et va le déposer sur la pile.

Ils disent au revoir à la fée et descendent par l'échelle de corde.

Dès qu'ils ont mis le pied par terre, un fort souffle de vent agite la cime du grand chêne. Les enfants lèvent les yeux : la cabane a disparu !

– J'espère qu'elle reviendra ! soupire Léa.

– Moi aussi, dit Tom en allumant sa torche. Mais, en attendant, je serai content d'aller me recoucher.

Léa rit :

– Oui, bien au chaud sous la couette !

Tous deux suivent le sentier qui mène à l'orée du bois.

Ils tiennent fièrement à la main leurs cartes de Maîtres Bibliothécaires. Elles leur seront sûrement utiles au cours de leurs prochaines aventures !

FIN

★ ★ ★ ★ ★ ★ ★ ★ ★ ★

Tu pourras suivre

de nouvelles aventures

de Tom et Léa

au fil de quatre autres volumes :

Les dernières heures du Titanic, n° 16

Sur la piste des Indiens, n° 17

Pièges dans la jungle, n° 18

Au secours des kangourous, n° 19.

★ ★ ★ ★ ★ ★ ★ ★ ★ ★

Si tu as envie de nous donner

tes impressions sur la série

ou nous parler de **tes propres voyages,**

réels ou imaginaires,

n'hésite pas à nous écrire !

N'oublie pas d'écrire

ton nom et ton adresse sur la lettre !